À Jeanne, ma fille, ma fée,
qui illumine ma vie.

Isabelle

ISBN 978-2-916947-83-9
Édité par ABC MELODY Éditions
www.abcmelody.com

Imprimé en République tchèque

Dépôt légal février 2012
Loi n°49-956 du 16 juillet 1949 sur les publications destinées à la jeunesse.
Direction artistique : Stéphane Husar - Maquette : Valentin Gall

Marie voyage en France

Auteur : Isabelle Pellegrini
Illustratrice : Princesse Camcam

DEZ

Chaque année en septembre, la ville de Lille se transforme pour deux jours en un immense marché aux puces ! Regarde, du Beffroi de l'Hôtel de ville en passant par la Grand' Place, des milliers de personnes vident leurs greniers et envahissent les rues... Avec mon frère, on part à l'assaut des stands pour trouver l'objet unique que l'on rapportera à la maison comme un trésor. Puis nos parents nous emmènent déguster les traditionnelles moules-frites. Quel restaurant aura le plus gros tas de coquilles de moules vides à la fin de la Braderie ?

DZ 1708 80
CG 26 10 82

La côte à Étretat est très mystérieuse. Dans l'air vif, on se promène sur la plage. Tu vois cette étrange arcade creusée par les vagues dans la falaise ? On dirait un éléphant qui trempe sa trompe dans l'eau, tu ne trouves pas ?
Papa nous raconte que cette aiguille a abrité le trésor des Rois de France et que c'est Arsène Lupin, le fameux voleur, qui l'a découvert. J'aimerais bien trouver le passage secret qui menait au trésor… En attendant, on peut ramasser de magnifiques galets et admirer les choux marins. Mais attention… la marée monte !

Dans la vallée de la Loire, en longeant le fleuve, j'ai l'impression de me retrouver au temps des Rois de France ! Ils venaient chasser ici, dans la forêt de Sologne. Partout où l'on va, on tombe nez à nez avec de majestueux châteaux… Connais-tu Azay-le-Rideau ou bien Chenonceau appelé aussi le « Château des Dames » ? Moi, mon préféré c'est Chambord, avec ses 440 pièces, ses 365 cheminées et son escalier extraordinaire ! Et tu sais, c'est le Château d'Ussé qui a inspiré Charles Perrault pour imaginer celui de la « Belle au bois dormant » !

Après avoir accosté à Belle-Ile, on se promène dans les ruelles entre les jolies maisons bretonnes. Assis face au large, un vieux marin surveille la marée.
À Sauzon, les pêcheurs ramènent leurs bateaux au port et montent leurs étals pour vendre le poisson tout frais. Avec mon cousin Malo, on joue aux pirates-matelots tout le long du sentier côtier, jusqu'à la Pointe des Poulains. J'aime bien aussi aller voir les aiguilles de Port Coton et le Grand Phare. La Bretagne est un pays magique et le Kouign-Amann, les crêpes et les galettes sont un enchantement !

Dans le bassin d'Arcachon, on monte tout en haut de la Dune du Pilat, la plus haute dune d'Europe. De son sommet, on admire d'un côté la côte océane et de l'autre la grande forêt des Landes. Avec mon frère, on glisse sur les pentes de sable fin, jusqu'à la plage ! Hier, on est allé sur l'Ile aux Oiseaux voir les parcs à huîtres et les fameuses cabanes tchanquées. C'était la première fois que je voyais des cabanes sur pilotis ! Et bientôt, je rejoindrai mon copain Moussa à Hossegor, pour aller surfer sur les vagues de l'océan Atlantique.

À la belle saison, dans les vallées des Hautes-Pyrénées, les troupeaux quittent bergeries et étables et prennent leurs quartiers d'été dans les hauts pâturages : c'est la transhumance. Dès le petit matin, on est prêt à accompagner les bergers et leurs bêtes. On traverse à pied les villages et on grimpe vers les sommets par les routes et les chemins escarpés. Toute la montagne résonne du tintement des cloches. Au loin, près d'un lac d'altitude, un isard nous observe. On passe même devant la tanière d'un ours... Et le soir, on fait la fête autour du feu en dégustant les bons fromages pyrénéens. Quelle belle aventure !

C'est à cheval comme les vrais gardians que l'on part à l'aventure en Camargue ! Tu as vu mon beau chapeau ? On longe les étangs aux couleurs changeantes, les rizières, les terres craquelées... Au milieu des marais salants, on découvre les majestueux flamants roses et les hérons !
Au loin, on aperçoit les Saintes-Maries-de-la-Mer, cité célèbre pour ses courses camarguaises. C'est aussi là qu'a lieu, tous les ans, le pèlerinage des Gitans à Sainte Sara, la Vierge Noire. Mais viens ! Continuons notre route pour aller voir les beaux taureaux noirs et les chevaux blancs sauvages.

Te souviens-tu que mes grands-parents habitent en Provence ?
Et bien quand on va les voir, avec nos cousins, ils nous emmènent toujours aux Baux-de-Provence. Dans ce village perché extraordinaire qui domine les Alpilles, on se promène à pied entre les monuments historiques. Et ce que l'on adore, c'est aller à l'ancienne Citadelle médiévale voir les spectacles d'ours, de loups ou de chevaliers et les tirs de catapultes ! Mais de là-haut, on voit aussi à perte de vue les oliviers argentés, les champs de lavande parfumée, les vignes bien alignées et les coquelicots par milliers... Que c'est beau !

À Nice, du haut de la Colline du Château, on surplombe la mer. La Promenade des Anglais longe la Méditerranée, belle et bleue, et sur la plage, les jolis galets font un peu mal aux pieds ! Sur cette colline, il n'y a plus de château, mais chaque jour, à midi pile, y retentit un grand coup de canon. Boum ! Les mouettes s'envolent en protestant… C'est l'heure d'aller déguster un pan bagnat dans les ruelles du Vieux-Nice. Tu viens avec nous ? Et cet après-midi, on ira à Eze, au Jardin exotique. J'adore les cactus et les plantes grasses aux formes bizarres ! Et du sommet, la vue est incroyable : on voit de l'Italie à Saint-Tropez !

En Balagne, appelée aussi « Le Jardin de la Corse », dans les chauds parfums du maquis, on prend le « Trinichelu », le petit train qui va de Calvi à l'Ile-Rousse. Mon frère et moi, le nez collé aux vitres, on admire les paysages côtiers et à certains endroits, le train roule presque sur la plage ! Puis on visite à dos d'âne le village perché de Sant'Antonino. L'âne de maman n'a pas très envie d'avancer... Quelle rigolade ! On se remet de nos émotions avec un délicieux jus de citron et du flan à la châtaigne. Demain soir, on ira écouter des chants corses au coucher du soleil. J'ai hâte d'y aller !

J'adore aller dans les Alpes en hiver. Sur des skis ou en luge, on dévale les pentes enneigées. Zioup ! On peut même aller en train voir la mer de Glace ou en téléphérique tout en haut de l'aiguille du Midi... J'ai cherché les marmottes mais je crois qu'elles hibernent. Peut-être qu'on croisera un bouquetin ? Avec Manon, dans le chalet, on dort sur des lits superposés et on partage la délicieuse raclette savoyarde sur la grande table en bois. Mais ce qu'on aime le plus, c'est faire des bonshommes de neige et des batailles de boules de neige ! Le plus haut sommet tout là-bas, c'est le mont Blanc. Un jour j'aimerais l'escalader !

En Auvergne, c'est au pied des volcans que l'on plante nos tentes ! Ici, on respire le grand air, on se baigne dans les rivières d'eau claire... Mon père nous prépare de délicieux sandwichs au cantal et on part à vélo près des lacs et pique-niquer dans les forêts. Hier, on a survolé les volcans et la chaîne des Puys en montgolfière. C'était impressionnant ! On a même vu s'envoler un Faucon pèlerin...
Demain, on ira au Puy-en-Velay. Bâtie sur un ancien volcan, c'est la ville de départ d'un des chemins du pèlerinage de Compostelle. Tu en as déjà entendu parler ?

Boulangerie
Boulangerie
Cendrillon

La cigogne est l'emblème de l'Alsace et maman m'a dit qu'elle porte bonheur. Regarde leurs énormes nids posés tout là haut sur les toits des maisons à colombages ! Ici, toutes les fenêtres sont fleuries. Que c'est joli...
Et tu sais, sur les coteaux autour du village, il y a des vignes qui donnent un vin blanc connu dans le monde entier. À l'heure du goûter, on fait comme les petits Alsaciens, on grignote des bretzels tout chauds en attendant le dîner pour se régaler avec la fameuse choucroute garnie. Tu en as déjà goûté ?

Et pour finir notre beau voyage, faisons un petit tour par le Mont-Saint-Michel. Fais bien attention car, quand la marée monte, le mont devient une île ! Plantée au milieu de la baie, cette cité médiévale est unique au monde. Et tout en haut, on peut visiter l'immense abbaye construite en hommage à... saint Michel !

Au revoir ! J'espère que le voyage t'a plu. Il y a encore tant de merveilles à découvrir dans notre beau pays... Alors, à bientôt en France !

Le petit lexique illustré de Marie

PAGE 2-3

Beffroi : Tour d'une ville, avec une cloche tout en haut qui, autrefois, servait à sonner l'alarme en cas d'attaque.

PAGES 8-9

Pointe des Poulains : À l'extrémité nord-est de Belle-Ile, la pointe s'appelait à l'origine « Beg er Pollen », qui signifie « Pointe des rochers isolés ». Le nom français vient d'une ressemblance phonétique, mais il n'y a pas de poulains sur la pointe !

Kouign-Amann : Spécialité bretonne signifiant « gâteau-beurre », il a été inventé par hasard vers 1860 par un boulanger de Douarnenez. Il est fabriqué à partir de pâte à pain, recouverte d'un mélange de beurre et de sucre, repliée à la manière d'un feuilletage.

PAGES 12-13

Isard : Chamois des Pyrénées.

Pâturage : Lieu où l'on fait paître le bétail.

PAGES 14-15

Gardian : Celui qui garde les troupeaux de taureaux en Camargue.

PAGES 18-19

Pan bagnat : Sandwich niçois dont le nom signifie pain mouillé. Pain rond baigné d'huile d'olive (ce qui lui donne son nom !), garni de tomates, radis, anchois, thon, oignons et œuf dur en rondelles.

PAGES 20-21

Maquis : Végétation méditerranéenne constituée de buissons épineux.

PAGES 22-23

Mer de Glace : Le plus grand glacier de France, qui se trouve dans la vallée de Chamonix (7 km de long et 200 m d'épaisseur).

Aiguille du Midi : La plus haute des aiguilles de Chamonix, dans le massif du Mont-Blanc. Elle culmine à 3 842 mètres. Sur le sommet principal s'élève une tour de télécommunication. Le mont Blanc culmine, lui, à 4810 mètres.

Raclette savoyarde : Spécialité de la région de Savoie, plat à base de fromage fondu, raclé ensuite sur les pommes de terre et de la charcuterie.

PAGES 24-25

Cantal : Fromage français à base de lait de vache venant du département du Cantal en Auvergne, dont le nom vient des monts du Cantal.

Chaîne des Puys : Ensemble de volcans s'étirant sur plus de 30 km au nord du Massif central, aussi appelée Monts Dômes.

Pèlerinage de Compostelle : L'un des trois plus importants pèlerinages de la Chrétienté après Jérusalem et Rome.

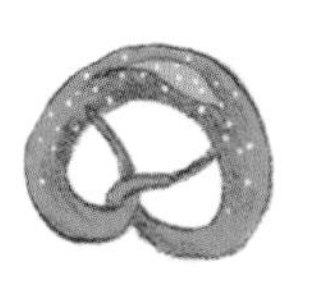

PAGES 26-27

Bretzel : Pâtisserie salée à base de pâte de brioche, en forme de gros nœud. Spécialité alsacienne.

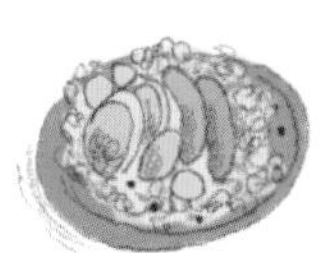

Choucroute : Spécialité d'Alsace, composée de chou coupé finement et fermenté dans une saumure, puis cuit dans du vin blanc avec différentes sortes de saucisses et de pommes de terre.

L'itinéraire de Marie
à travers la France
Lille
Nord-
Pas-de-Calais
Étretat
Haute-
Normandie
Picardie
Mont -
Saint-Michel
Basse-
Normandie
Ile-de-France
Lorraine
Strasbourg
Alsace
Champagne-
Ardenne
Bretagne
Pays de
la Loire
Centre
Chambord
Belle-Ile-en-Mer
Bourgogne
Franche-
Comté
Poitou-
Charentes
Mont-Blanc
Auvergne
Limousin
Rhône-Alpes
Le Puy-en-Velay
Dune du Pilat
Aquitaine
Provence-
Alpes-
Côte-d'Azur
Languedoc-
Roussillon
Midi-
Pyrénées
Nice
Les Baux-de-Provence
Camargue
Corse